Pour Sarton et Anjelica Tao

Troisième édition maì 2009

Texte français de Laurence Bourguignon
© 1999 Mijade (Namur)
pour l'édition en langue française
© 1996 Eric Carle
pour le texte et les illustrations
Titre original : Little Cloud

ISBN 2-87142-204-4
D/1999/3712/36

Imprimé en Belgique

Eric Carle

Petit nuage

Mijade

Les nuages flottaient tout doucement dans le ciel,
et Petit Nuage flottait derrière eux.

Pendant que les nuages flottaient ainsi,
toujours un peu plus haut, toujours un peu plus loin,
Petit Nuage, lui, se laissa tout doucement descendre
vers les toits des maisons et la cime des arbres.

Quand les nuages furent hors de vue,
Petit Nuage se changea en un énorme nuage.

Puis Petit Nuage se changea en mouton.
Parfois, les moutons et les nuages se ressemblent.

Petit Nuage se changea en avion.
Il avait souvent vu des avions voler
parmi les nuages.

Petit Nuage se changea en requin.
Un jour, il en avait aperçu un
au milieu des vagues de l'océan.

Petit Nuage se changea en deux arbres.
Il aimait bien les arbres, eux qui restent
toute leur vie à la même place.

Petit Nuage se changea en lapin.
Il avait si souvent suivi leur course
à travers les prairies!

Petit Nuage se changea en chapeau.

Il n'aimait pas tellement les chapeaux, mais…

...comme il s'était changé en clown,
il en avait besoin!

A ce moment-là, les autres nuages revinrent.
Ils se serraient les uns contre les autres.
« Petit Nuage, Petit Nuage, viens avec nous ! » crièrent-ils.
Petit Nuage rejoignit les autres nuages.

Alors tous ensemble ils se changèrent
en un seul énorme nuage…

…et il se mit à pleuvoir!